АЛТАРЬ
ПОЭЗИИ

Нина Шевцова

Колдовское утро

РИПОЛ
КЛАССИК

Москва, 2007

УДК 82-1
ББК 84(2Рос=Рус)6-5
Ш37

Шевцова, Н. П.
Ш37   Колдовское утро / Нина Петровна Шев-
цова. — М.: РИПОЛ классик, 2007. — 160 с. —
(Алтарь поэзии).

ISBN 978-5-7905-5050-8

О поэзии Нины Шевцовой невозможно
говорить бесстрастно. Ее стихи — глубокие, нежные,
изящные, проникновенные и вместе с тем простые
той волшебной простотой, которая всегда отличала
и отличает истинное мастерство.

Нина Шевцова — мастер рифмы, создающей
изысканную, воздушную ткань стихотворения и
удивительно свежую, оригинальную образность.
Загадка этого процесса, к счастью, остается
неразгаданной...

УДК 82-1
ББК 84(2Рос=Рус)6-5

ISBN 978-5-7905-5050-8

Два билета

* * *

Тебя позвать — как воздуха вдохнуть,
Пройдя сквозь ужас нового рожденья,
Утратить все, чтоб видеть чистый путь
Тяжелого достойного служенья.

Тебя позвать — как встать под образа,
Покаяться при всем честном народе,
Вновь выбрать жизнь, узнав твои глаза,
Вернуться к человеческой природе.

Тебя позвать в мертвящей тишине,
В глумленье зла всемирного бедлама,
И счастье знать, что ты ответишь мне,
Ты подойдешь и ты укроешь, мама...

Тебя позвать...

* * *

Ожесточенные слепой работой,
Такие руки и лаская грубы.
А нежность кажется фальшивой нотой.
И не целуют каменные губы.

Свистки и окрики — яслей, детсада,
Продленок, пионерских лагерей...
Какое историческое «надо»
Ковало тех железных матерей?

Железным — слава. Но моя девчонка
Впотьмах ко мне прильнет.
                    И, скрыв печаль,
— Грудь, — ей скажу, —
                    не чтоб носить медаль.
Она дана, чтобы кормить ребенка.

* * *

Руки царапая, горькую жаркую пижму
С треском и хрустом рву
                        в придорожном кювете.
Зелень и пыль кулаками
                        сведенными выжму,
Ярости слезы сухие в дикарском букете.

...Детство, волчонок, я оботру, не оставлю
Слезы твои. В жизни горше
                        бывают едва ли.
Самую сложную взрослую склоку и травлю
Переживу, как смешной фейерверк
                        в карнавале.
Только бы детские слезы верили, звали...

* * *

Ты был могучим добрым великаном.
Ты жил без тормозов, ядрена мать.
Теперь, наверно, станешь наркоманом:
Судьба здесь не дает нам выбирать.

— Зачем такая жизнь? — бунтуешь ныне. —
Все отняли: здоровье, деньги, честь... —
Я зажимаю рот твоей гордыне.
Пусть только будет жизнь. Какая есть.

Из дискотек, от злых ревнивых мук,
Снимая грим и тесные жакеты,
Крадутся возбужденные Джульетты
Испить покой из бабушкиных рук.

Какое счастье, если спит семья,
Не пристает с допросом-приговором.
Ворчун, шалунья, бабушка моя,
Встань, рассуди! Давай поплачем хором.

Не сохни, сердце старое, свети!
Не прогоняй смешные слезы эти,
Дай веры ей, насмешливой Джульетте,
До бабушки обиду донести...

Утренний этюд

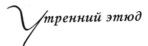

Дождь. Бег. Листопад. Магазин.
Под зонтиком звонко целуются.
Лихими штрихами машин
Взъерошена рыжая улица.
Багрово взвивается клен,
Спросонья лохматая бестия.
И тихо присел почтальон.
Тяжелые, видно, известия...

Цветной гобелен

Памяти бабушки Татьяны

Простоволосая бродит береза
        в талой воде по колено:
Сонное, белое, жадное тело
        и молодое пока.
Зиму еще как-нибудь. А вот к маю
        пыль оботру с гобелена,
И, как задушенный плач соловьиный,
        вдовья накатит тоска.

Талые воды. Погоня смертельная.
        Лодка с разбитой гитарой.
Жизнь моя, что ты? Куда ты спешишь?
        Ты покидаешь меня
В этом лесу, где я сто раз умру
        прежде, чем сделаюсь старой,
В талой воде, где сгорю я дотла,
        так и не тронув огня?

В мае, когда все лесное зверье
        носит у сердца ребенка,
В мае, когда и земля, и вода
        шепчут живому: «Живи...» —

Два конвоира тебя увели.
(Лагерь. Штрафбат. Похоронка.)
Тонет береза в высокой воде.
Лес утопает в любви...

«Вас ждет подъем», — астрологи сказали.
Но оказалось, это — снегопад.
И детской флейты всхлипы в белом зале,
Куда в слезах вошла я наугад.
В слезах небесных, в снеговой купели
Я поняла, что правильно иду:
Жар щек — девчонка — снегири зардели
На смугло-снежной яблоньке в саду.
Сюда не смеют: жадность, униженье,
Болезни, крысы, грубость и вранье.
Здесь — неумело-трепетное пенье,
Звучащее дыхание ее.

* * *

Живые, мы платим по трем векселям:
Рожденье, любовь, материнство.
А сердце, как рокер, свистит патрулям
И с хаосом ищет единства.

Живем, развлекаясь доступной игрой
В «дороже-дешевле». Но вдруг
Несбывшейся жизни рокочущий рой
Судьбу вырывает из рук.

И чем объективнее, тоньше, умней
Партнер объясняет свой крах,
Тем подлая мысль:
            «Не платить векселей!» —
Ярче зияет в словах.

* * *

Вдоль мутных контуров аптеки
Поземки медленные треки
В багровый залп рассвета...
И страшно руки развести,
Пока лицо лежит в горсти
Ошибкой трафарета —
Без грима, без ответа,
Во сне часам к шести...

Я к вам вбегу не с тостами смиренными,
А чтоб успеть, схватить, ударить жестко
И выбить бритву из руки подростка,
Дрожащую над голубыми венами.

За чье благополучие расплата?
Кто, кто в тебе не понял ни рожна?
Прости меня. Не я ли виновата,
Что стала жизнь твоя тебе страшна?

Дай мне последний шанс. Без укоризн
Я докажу, как мысль твоя жестока.
Дороже этой жизни только жизнь,
Которая в тебе молчит до срока.

Дети на даче

Кроватки застелены так аккуратно,
Послушные куклы уселись на стол...
В квартире, прилизанной неоднократно,
Давно не царил озорной произвол.

Я поздно встаю. Я по-разному кофе
Варю, проверяя рецепты подруг.
Ликер достаю в керамическом штофе.
Мешаю, терпя холодильника звук,

Протяжный, сверлящий... Откуда он взялся?
Мой слух не припомнит подобных помех.
И кран не гудел, когда здесь раздавался
То жалобный плач, то отчаянный смех.

Садимся. Наш завтрак изысканно-скромен.
И в комнате можно чуть-чуть покурить.
Привычны слова до привычных оскомин.
Молчим, слава Богу. О чем говорить?

В метро. На работу. С работы трамваем.
Почти не решая, плетемся в кино.
Зевая, афишу в дожде созерцаем.
Ну что там поближе? Пошли... Все равно.

* * *

Д.

По зорким стеклам хлещет мутный ливень,
И крестик твой мне падает на грудь.
Ты в это утро нежно-агрессивен,
И нам в потоке пенном не свернуть.

А, растворясь друг в друге, плыть бездонно,
До первых судорог, глаза в глаза,
До стука в дверь, до визга телефона,
Когда скрипят, как зубы, тормоза...

* * *

Н.

Она впорхнет в твой кабинет с бумагой,
Наклонит кудри, оголяя грудь,
Мизинчиком прочерчивая путь
Для подписи.
Два взгляда мутной брагой...

Я — третий лишний здесь.
Так, дочь-подросток
Не видя, молодые мать с отцом...
Мешать любимым — вот судьбы излом!
И дочь дерзит, вредит, замыслив жестко:

Начать курить, уйти из дома — в слякоть,
Стать настоящим парнем, пить вино...
Так далеко все это и смешно.
И вновь — решенья нет.
Любить и плакать...

* * *

Нынче в кассе билетов навалом:
Кто же из дому едет зимой?
Оглушенная гулким вокзалом,
Я прошу: «Два билета... Домой...»

Но опять — удивленно, устало
Смотришь ты на меня и кругом:
То ли вновь я тебя не узнала,
То ль забыла опять, где мой дом...

Обида

Звонят, приходят гости невпопад,
Плывут с плиты горелые туманы,
Врет телевизор, ухают диваны.
В квартире шум. Но люди в ней — молчат.

Сидят за чаем утром вчетвером,
Выходят чинно в гости, на прогулку.
А после каждый, как браслет в шкатулку,
Свою обиду возвращает в дом.

И с каждым годом, кажется, наглей
Она во все дела суется лично:
Мелка, бесцеремонна и привычна...
А может, все и держится на ней?

* * *

В ночь из Москвы — оторвемся,
                ни с кем не простясь,
Остро, азартно, легко,
                как два ловких любовника.
Сто километров асфальта —
                и нежить, и грязь,
Мара проселков, торфянок,
                брусники, шиповника.

В яме машину утопим
                и выползем в рожь
Длить сколько можно
                эту хмельную затяжку.
Пальцы на ощупь находишь,
                целуешь и мнешь,
Хриплые всхлипы
                в мою зарывая рубашку.

Только бы встать, плач кикимор
                и сов одолев,
Только б дойти до деревни,
                там банька согрета.

В мятном, парном, можжевеловом —
бронзовый лев —
Схватишь, уймешь, заласкаешь
до слез, до рассвета...

* * *

Словно необратимый процесс
Грезы — тайной, ночной, крамольной, —
Ах, какой мне явился лес,
Целомудренный, белоствольный!

Липким дегтем лицо хлестал,
Сыпал в косы жуков, как школьник,
Что в черемухе мне шептал
Пьяный вор, соловей-разбойник!

...Как от хмеля, очнусь в избе,
Хлопоча пред свекровью хмурой.
Что-то помню сама в себе,
Улыбаюсь счастливой дурой.

* * *

Сонное ульев смиренных тепло,
Ворох грибной утомительной лени...
Пламя листвы облизало колени,
Плечи куснуло, гортань обожгло.
Знаешь, мой буйнопомешанный лес
В год переврал адреса, интерьеры,
Гнезда рассыпал, обрушил пещеры,
Выселил белок. И ежик исчез.
Сжег муравейники, змей без числа,
Сосны ржавеют, и вымерзли птицы,
Стадо кабанье разрыло грибницы,
Плесень в оврагах гнилых расцвела.
Вот — за веселие в доме чужом, —
Вот как он мстил мне, грозя то и дело:
Если не хочешь — гори все огнем,
Если не любишь — гори! И — горело...

* * *

Мимо брошенных изб, в ночи...
Не кричать, раздувая вены,
А молиться меня научи
За эти мертвые стены.

Не печати на властном челе,
Не наивной небесной химере,
А бездомной, измученной вере,
Безродной убитой земле...

* * *

Хочется горлинок шелком
                    цветным вышивать
Самозабвенно, по краю
                    холщовой рубахи,
Медь обожженных ладоней
                    мужских целовать,
Стремя хватать и поводья
                    удерживать в страхе.

Хочется женщиной,
                    Женщиной быть — вопреки
Моде, порнухе, обманутой прессе,
                    бюджету...
Встать у развилки, глядеть
                    из-под смуглой руки,
Плакать полжизни вослед
                    уходящему свету...

* * *

Она перестала краснеть,
                     ревновать без причины,
Над вышивкой слепнуть,
                     беречь старомодный уют.
Исчезла тетрадка с рецептами
                     маминых блюд.
Нет женщины в доме.
А значит — не будет мужчины.

Два умных, блестящих соперника
                     рядом живут.
Гордятся друг другом. Следят.
                     Не прощают успеха.
И тосты влюбленных гостей —
                     только новое эхо
Бесполого равенства, праздно
                     трубящего тут.

Совет да любовь заменили
                     игрою ума.
Удобно. Легко. Без потерь.
                     Как у всех. Неужели

Ходили мы греться в прохладные
эти дома?
А в доме родном сквозняки
ледяные свистели.

Тюльпаны на Пуске

1.

Ты собирался так аккуратно, словно —
       надолго.
Спящего сына укрыл. (Он причмокнул
        смешно.)
Долго смотрел, обнял меня. Поправил
        заколку.
И попросил: «В ноль-пятьдесят глянь-ка
       в окно».

Значит, сегодня. В городе ждали.
        На побеленных
Ярких столбах птицы звенели, как
       знойный мираж.
Много блистало звезд незнакомых
      на встречных погонах.
Белый автобус ждал, чтоб вошел
      неземной экипаж.

День, как и все, в марь суеты канул
       бесцветно.

В женских глазах — или это казалось? —
                                    тревога росла.
Темень упала. Многие люди, было заметно,
Шли на пустырь, где вширь открывалась
                                    звездная мгла.

А над саманными двориками Тюра-Тама,
Одноколейкой, где мотовоз тормозил,
Тихое зарево шло, разгораясь упрямо,
Ветер устойчивый смутную гарь доносил.

Вспыхнул огонь. И болезненно-злыми
                                    толчками
В небо провел огневую кривую черту —
Гром докатился. Ступень догорала
                                    над нами —
Вот, отделившись, звезда поплыла
                                    в черноту.

Там закричали, на пустыре. Рвали гармони,
Пили. И тосты звучали на всех языках.
И почему-то, стоя в халате на узком
                                    балконе,
Плакала я, погремушки сжимая в руках.

Тихо вернулась к кроватке. Над спящей
                                   мордашкой
Долго сидела, забыв про ночные дела.
Ужин готовила, шила, уснув над
                          рубашкой —
Маясь в подушках, звона ключей
                       или утра ждала.

Свет просочился, дымно укутал дремотою
                                   зыбкой,
Запахом странным и нежным,
                       топотом где-то вдали.
Ты, оглушенный, кричал, сияя мазутной
                              улыбкой:
«Видишь? Тюльпаны! На Пуске! Ночью,
                       сейчас! Расцвели...»

2.

На горячих песках Байконура
Погибают сухие ростки.
Как верблюжьи мохнатые шкуры,
Катит ветер слепые пески.

Там арыки беснуются в пене.
И, когда небеса проревут,

Отделение первой ступени
Наблюдает привыкший верблюд.

3. Гости

Приходили. Чуть кивали.
В пиалу зеленый чай
Наливали. Не вчера ли
Мы в Столешниках в подвале
Собирались невзначай?

Тот же стиль: вихры, проборы.
Скулы жестче. Тверже взгляд.
И совсем другие споры
Вас терзали, волонтеры,
Целый год тому назад —

Вы над чаем ворожите,
Как над гаснущим костром.
Ладно, так и доложите,
Что тоскливо в общежитье
Вам тащиться впятером.

Сам хозяин рад чертовски
Пропустить еще глоток:

Слишком шумно, по-московски
Закипает кипяток,
Слишком ал уже восток...

4. Дублер

У космонавта ровный пульс на старте.
Нормален стрелок ход. Пищит прибор.
Качают кислород. Негромок хор
Эфира.
Но в болезненном азарте
В земной экран впивается дублер.

Он остается. Сколько трудных дней
Сближали их смертельные нагрузки!
А разлучиться надо здесь, на «пуске».
Дублер, придумай штуку посмешней!
Спасибо, брат. Вот это, друг, по-русски.

...Дублер! Твой пульс уляжется не скоро.
И знает тот, который на борту,
Что, если не осилит высоту,
Страшней не будет на земле укора,
Чем строгое сочувствие дублера.

5.

Завывал фургон «Межавтотранса»,
Стекла вдрызг заляпав мошкарой:
Полкуплета хриплого романса
Да плечевки кашель за спиной...

Сухо мел восточный ветер, в трубы
Выдувая легкие земли.
Смех кривил обугленные губы
Бравших спирт и длинные рубли.

Ветер страсти, воли и просторов!
Те, кто различают голос твой,
Не выносят долгих разговоров,
А, вдохнув, зовут тебя судьбой.

6.

Снег над городом...
Так в осоку
Пух роняет подбитый гусь.
Ты, конечно, приедешь к сроку,
Если ладно все. Я боюсь
Долгих, ломаных, тупиковых
Улиц, твой стерегущих путь

Безлюдьем закрытых столовых,
Сквозняков, разрывающих грудь
Под узором тонкого свитера.
Я боюсь пожелать тебе
Чужой ладони, чтоб вытерла
Тот соленый снег на губе...

7.

Тюльпан не знает, что рожден в пустыне,
Когда ласкает вешняя вода.
Он солнцу отдается без стыда
Но, обжигаясь, дотлевает в глине.

А корень жив: он не забыл урока.
И дикий сок, дремавший много лет,
Плеснет соцветье новое на свет,
Лишь теплый луч потянется с востока.

8. Весенняя газель

Степные миражи... Далекие туманы...
Опять мне снились кзыл-ординские
                              тюльпаны...

Гортанный разговор и тюбетеек лоск,
Над пловом сход семей: шербет... халва...
                                        обманы.

И мутной Сыр-Дарьи в поля побег чумной,
Где в сочных травах вязнут верблюжьи
                                        караваны,

В кустах толчется гнус. И под слепой
                                        луной
Ночами соловьи разнузданны и пьяны.

Еще паленой охрой не вздулся горизонт,
И горькая полынь не засорила краны,

И в болевые точки солнце не впилось...
Мужские влажные глаза нежны
                                и странны...

Байконур — Москва, 1985

* * *

О плафоны бьется мошкара.
Ну, гаси. Давай доспорим завтра.
Вот увидишь, мы поймем с утра,
Кто сильней и чья больнее правда.

Может, губы не дождутся дня
Или руки разберутся сами,
Или строго глянет на меня
Сын твоими серыми глазами...

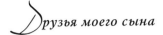 рузья моего сына

Угрюмы, вооружены,
Они толпятся в коридоре
И все царапины войны
Отстаивают в громком споре.

И, околдован, оглушен,
Мой сын, меня уже не слыша,
За ними, сдернув капюшон,
И каждая в подъезде ниша

Его свинцом взахлеб сечет —
Ни тыла нет, ни обороны,
Ведь не берут меня в расчет
Двора жестокие законы.

* * *

Все в порядке. Улыбнись беззвучно,
Чтоб не замолчать на полуфразе.
Жизнь моя теперь благополучна,
Как у белых роз в хрустальной вазе.

Мне их дарят кстати и некстати.
Всё для счастья. Всё как я хочу.
В предзеркалье, в шелковом халате
Я гашу крученую свечу,

Выдыхаю умершее слово,
Отдаю руки холодный мел
И не вздрагиваю. Ты такого
Мне добра хотел?

Словно брошь из редкого металла,
Чтут в фамильном сейфе жизнь мою.
Говорят, что я красивой стала.
Только песен больше не пою.

Мой маленький город
Из разговора продавца
с покупателем

— Опять ее несет нечиста сила...
Сидела б дома в эку непогодь!
Все булки съела?.. Чек давай.
— Погодь,
Матвевна, здравствуй. Кошелек забыла.
Копеек тридцать не найдешь? Отдам,
Зайду под вечер...
...Вот он, чек. Три ситных...
Нет, слойки тащит. Ну, тетеря. Срам,
Совсем глухая стала.
У Ракитных, —
Матвевна, слышишь? — отдавали дочь.
Жених самостоятельный. С квартирой.
Софу да шкаф, ковер им дали. С лирой,
Как у Крючковых, помнишь, был. Точь-в-точь.
Они в эвакуацию сменяли
На хлеб...
— Давай же, Клава, проходи,
Здесь очередь.
— Дай ситный.

— Нет.
— Найди.
Мой Котофеич ситный ест. Уж я ли
Тебе об этом не твержу сто раз,
Чтоб ситный нам к обеду оставляла!
Оглохла — что ж работать? Денег мало?
Небось найдут работничков без нас...
— Найдут... Но, скажем, завтра я — умру.
— Типун тебе!
— Да слушай! На работу
Не вышел человек. И поутру
Ему звонят, к нему идут. Заботу
Общественность проявит. Извлечет
Холодный труп...
— Ну ладно, хватит вздору...
— А ты умрешь — и только серый кот
Забегает в тоске по коридору.
— Ну что ж, Матвевна. Если не приду
За ситным — пригляди за Котофеем...
— И, полно, Клав...
— Зайди ж когда. Согреем
Чайку... Винца... Как, помнишь, в том году...

О, дворики... О, тупички... Москва,
Старьевщика бесценная тряпица.
Узор Кремля и пестрядь Покрова...

Какой ценой дано нам расплатиться
За то, средь голубиной воркотни,
Озябшее старушечье сиротство,
Копилку нежности и сумасбродства,
Жестокую забаву ребятни!

Иль, разрушая время, невзначай
Так я сама себе плетусь навстречу?
— Ты — в прошлом? — я спрошу.
И — не отвечу.
— Ты — в будущем?
Молчи! Не отвечай!!

Ты строишься, столица, вширь и ввысь,
Ломая их клопиные приюты.
В стерильность блочных келий вознеслись,
Хромые Клавы, странные Анюты.

Мой зодчий, как твой замысел хорош!
Твори дворцы на каждом сантиметре.
Но только сердце старое не трожь,
Пусть эти бабки доживают в центре,

Где стены — их последняя семья,
Где их сокровища, смешны и жалки.

За сыновей погибших молвлю я:
Не выселяй старух из коммуналки!

Хранится память — значит, жив народ.
Сберечь, как всенародное богатство,
Старух московских золотое братство,
Что по бульварам тесненьким живет.

И пусть гудит Бульварное кольцо
И держит круговую оборону,
И звездам улыбается бессонно
Старушечье лучистое лицо...

* * *

Не странно ль, на ухабах замирая,
Лететь, волнуя ближнего плечом,
Как будто в нас неведомо о чем
Одна душа вздыхает мировая?

Не странно ль, руки с поручня срывая,
Бросаться в темь, глотать вопросов ком,
Страшнейшим человеческим грехом
Навязчивость невольную считая.

* * *

Как ты вырос, мой маленький город,
На крови захолустных садов...
В глине осени, грязно-лилов,
Горизонт небоскребами вспорот.

Суматошный, ты нынче при деле.
Мне б с тобою один на один...
Объективы громадных витрин
В голубятни твои подглядели.

Все купить зазывают кликуши.
Незнакомый, торговый, пусти
В тупиках отчужденья найти
Наши бедные добрые души.

* * *

Наша забота теперь — привыкать
Жить без чудес, как и прежде.
Новый ребенок не станет искать
Грудь мою, роясь в одежде.
Общих бессонниц не будет у нас.
Странные бурные слезы
В утренний час, ослепительный час —
Разве для праведной позы,
Пряча в которую скуку и лень,
Мы улыбаемся детям?
Всюду мы вместе. Ты галстук надень:
Вдруг мы знакомых встретим...

***

Шерстяной седой медведушка,
В бортях ведающий мед,
Для чужих он — смирный дедушка:
Книжки пишет, дом метет.

Только внуки с недоверием
Всё таращатся вослед:
Проморгали — новым зверем
Обернулся хитрый дед.

Зубом вжикнул, будто ножиком,
При луне сверкнул оскал...
А вчера пугливым ежиком
Молоко из рук лакал.

* * *

Мелкий подранок в кусты:
Ползай, вытаскивай.
Я же не знала, что ты —
Чуткий и ласковый.

Если б дотоле не жить,
Выключить зрение,
Веру, как жемчуг, хранить
В студне забвения,

Раненых птиц собирать
Можно, залечим.
Только ружье заряжать
Было бы нечем.

* * *

Ирония, я без тебя умру.
В бездомном, нищем прозреваю брата.
Я — голая на людях, на ветру.
Я — перед целым миром виновата.

Ни в чем не открываться до конца
Вот путь к авторитету и свободе:
Смотреть в глаза любимого лица,
Не видя боли, мило — о погоде.

Это и было от ветра,
Ныло, скулило, — молчи, —
Не дотянулось полметра,
Не докричалось в ночи.
Это и было от боли
Неизъяснимой, всерьез,
Весело — пьяная, что ли —
Сразу, чтоб дьявол унес.
Платом сокрыла корону,
Зверем сверкнув под обрыв.
Думала, если не трону,
Может, останется жив...

* * *

Напьемся перед сном Рождественским
                                          бульваром,
Привычкою болтать о всякой ерунде.
Взлетают блики луж навстречу ясным
                                          фарам,
Виденьем древних стен монастыря в воде.

И темень, дождь, огни, в лохматой пляске
                                          клены,
А в люках пенится Неглинка. Ночь длинна,
То горечь, то озноб — о, как неутоленны
Прогулки под дождем в любые времена!

Два юных существа, любовь превозмогая,
Бредут из века в век, ныряя в сизый дым,
В глубь левитанской мглы.
Дубов промокших стая
Бульваром их ведет под зонтиком седым.

* * *

Как педагог я, может, не сильна,
Но не устану повторять беспечно,
Что юность не ученостью умна,
И мир ей верить должен безупречно.

Пусть будет риск открытий и дорог!
Следя азартно-детскими глазами,
И небо, и планету дал им Бог,
А истину пускай добудут сами.

Горсть монет и всё, в карманах чисто.
Нет на хлеб и даже на метро.
Лучше сделать звонкое монисто:
Дочке пусть послужит серебро.

Жаждал воли, а нашел заботу:
В нищете не хочется стареть.
И внезапно потерять работу
Стало пострашней, чем умереть.

* * *

Вновь, Марина, я в знакомом кресле.
Икебана, Босх, et cetera...
В чешской вазе тлеют искры, если
Вспыхнут окна в глубине двора.

Ты накроешь экономный ужин,
Скажешь с эмигрантской простотой:
«Никому никто из нас не нужен.
Всё идет своею чередой».

Риск, подъем — и снова жизнь
                                         «в мундире»:
Имидж, стиль, регламент, этикет...
В темной по-булгаковски квартире
Старый хмель химер как теплый плед.

Сами их позвали. Будем славить,
Хаять, привирая от стыда.
Почему боимся мы оставить
Тех, кто мил без нашего суда?

Я ль, секреты душные изведав,
Не ценю твой справедливый нрав?
Но уволь. Не жди моих ответов.
Тот, кто любит, не бывает прав.

А Масленица жгла блинами,
Кострами билась на снегу!
(Цветок отважный цвел меж нами
В холодной хижине в пургу.)

И было бешеным объятье,
Снег напоен вином из роз,
И стеблем порванное платье
Впитало кровь библейских грез.

Есть память даже у металла.
Есть имя даже у вина.
Рука, которая ласкала,
В движенье крови включена.

Приезжай в Измайлово

Приезжай в Измайлово. Не переживай —
Опоздай, не надо торопиться.
Сядь в долгоиграющий тридцать второй
                                        трамвай.
(Держит бубенцы еще столица.)

Как покатит с дребезгом полупустой вагон,
Как сверкнет Елоховка макушкой —
Оборвет все жалобы трамвайный бодрый
                                        звон,
В дверь влетят студенты друг за дружкой,

Где-то крякнет Яуза под крутым мостком,
Прошумит Лефортово садами...
Наберись терпения. Еще далек мой дом.
Но как близко все, что между нами.

Серебристые мхи

* * *

Снег! Солнце! Январь! Понедельник!
Вертясь у чугунных колес,
Терзает проклятый ошейник,
Беснуется огненный пес.

По насыпи сходят, судача,
Опомнившись от новостей,
Хозяева новенькой дачи
И выводок бойких гостей.

А в доме и гулко, и хрустко,
Там заиндевел потолок.
И так безмятежно, по-русски
Запляшет в печи огонек.

И вот уж рыдает гитара,
На вилку наколот грибок,
И в медной луне самовара
Веселый пыхтит кипяток.

И все, что застыло, — согрелось,
И ветер досаду унес,
Когда помолчалось и спелось,
И лег, и зажмурился пес.

* * *

Я не боюсь соперницы красивой:
Румянцем жарче, взглядом холодней.
Пусть ревность мне глаза сожжет крапивой —
Увижу все, чем ты прельстился в ней,
Узнаю яд — найду противоядье!

...Страшней мне та, чье бледное лицо
Не вспомню, как мелькнувшее за гатью
В окне вагона бедное сельцо.

Невзрачность эта чем тебя пронзила?
Сны отравила взглядов немота,
И унесла с собой такая сила,
Что перед ней смутилась красота.

* * *

Можно в обугленный лечь земляничник,
Вслушаться в радостный птичий хорал,
Погоревать, что какой-то язычник
Тайно поляну мою обобрал.

Пусть. Отыщу я поляну другую.
Ноги изрежу стальною стерней.
Только еще полежу, поколдую...
Славит кого-то щегол надо мной.

Оторопь свежих кабаньих тропинок,
Бархат свирепых объятий лесных.
Мысли скользят, словно мокрый суглинок:
Леших мельканье... Огни водяных...

Жаркий хозяин льнет к щечке упругой,
Валит в дремучие мох да камыш.
Девка, аукай, беги за подругой!
Сгинешь в лесу, медвежонка родишь.

Лес уложили за две-три недели.
Скрежет и вой был, и щебет, и звон.
Разом вы, девоньки, осиротели.
Кто вас еще приласкает, как он?

* * *

Вприсядку иль юбку задравши, канкан
По кочкам в серебряных мхах...
Горчит сладострастье брусничных полян,
Как твой поцелуй на губах.

Смолистый густой изнуряющий зной,
Багульник и вереск. В лугах
Так мускулы ходят горячей волной
В плену васильковых рубах.

Крутые грибы, вздыбив дерн, в глухомань
Влекут, белизну затая.
О, так разрывает джинсовую ткань
Упругий... О чем это я...

А дома, где яблоку негде упасть,
Втихую, в обнимку, взаглот...
— Откуда сия африканская страсть?
— Да с этих трясучих болот...

* * *

Исцарапав лицо, хохоча без причины,
Я встаю на колени перед каждым кустом,
Исступленно ловлю окровавленным ртом
Плети, струи рубиновой, пьяной малины.

Пью за теплую жизнь, за права наши птичьи
В испитой, обворованной, грешной стране,
Где прекрасные дети в нелепой войне
Страшно гибнут в безвестье и косноязычье.

Хлынь юродством, любовью, над бездной,
                                        по краю,
Отвори мои коды, Судьба, не молчи!
А не то — обернусь я волчицей в ночи
И холодные вены твои растерзаю.

Зелено. Влажно. Темно.
Визги в гостиничных барах.
Яркий неон казино
В мокрых дрожит тротуарах.

Город-подросток полным-
Полон улиток, микробов,
Детским пороком ночным
Кормит пресыщенных снобов.

Бедно-изысканно прост,
Пьян от бездомной свободы,
Взял и поймал ты за хвост
Чудо неясной природы...

* * *

Поросли пожарища кипреем.
Бледный фосфор трассы — липкий скотч.
Сказками шмелиными согреем
Люто неприкаянную ночь.

Не буди собак в тревожном сене,
Мотыльков, побитых светом фар.
Юный стыд — на придорожном крене,
Юный лед и сатанинский жар.

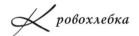

Кровохлебка

В середине пышного букета
Шишки темно-вишенного цвета,
Пильчатые в серебре листы.
Как цветок зовут? —
Вздыхаешь ты:
Страшные названия бывают.
Кровохлебкой люди называют.
Как вскипит сбесившаяся кровь,
Гнев, позор, неверная любовь
Вздуют вены, лоб сожмут тисками,
Красный кашель выхлестнет толчками,
Женщина, как в родах, закричит,
А мужчина зверем зарычит —
Прячь ножи, ружье снеси соседям,
Горькую не пей, не ври: «Уедем...»
Корень кровохлебки завари,
Пей неторопливыми глотками.
Злая кровь уляжется внутри,
Как река, смиряясь с берегами.

* * *

Вот и черника в лесу перезрела,
Перестояла трава луговая.
Сядем венки заплетать неумело,
Каждый цветок наизусть называя.

Нынче не слышно в лесу онемелом:
«Настенькин мостик», «Егорова горка»...
Вдоль по речным рукавам обмелелым
Рыщет, лещей разрезая, моторка.

В пятницу гости наедут — не спросят,
В лес побегут и наполнят корзины.
Эти ребята не сеют, не косят.
Им не корову доить — магазины.

Весело дряхлых старух обирают
Их долгожданные бойкие дети.
Рушатся фермы. Сады умирают.
Пьяный наследник ночует в кювете.

Сельская учительница

Неужто и вправду назвали красивой?
От вечной работы горбата спина.
И шея красна, словно бита крапивой.
Но вряд ли крапивы боится она.

Кончались уроки — бежала доить,
Мешать отрубей, экономя на зернах,
Кусачих, бодучих, пернатых кормить.
Да четверо в доме своих, беспризорных.

А пятый заявится, может, к утру...
Авось не прибьет. А поспит — и в порядке.
Зашить, постирать, уложить детвору.
Да хлеб замесить. Да проверить тетрадки.

Вон тянутся в город свой век доживать
Соседи, прощаясь. (Поди, не чужая...)
Дома, как родных мертвецов, обряжая,
С собой унося небогатую кладь.

А там покупатель, сговорчив на диво,
Оформит бумаги, поправит порог.

И сам по-хозяйски за домом брезгливо
Зароет пар двадцать разбитых сапог.

Судьба пред глазами стоит пеленой...
Детей разбросает шальными путями...
Да мужа могилка осядет весной...
Да ветер в трубу... Да собака ночами...

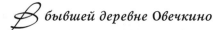

В бывшей деревне Овечкино

Дом разорен и выстужен дотла,
И продан Бог из красного угла,
Бесцельно дети разбрелись во мгле,
И старики лежат в чужой земле.
Дом ждет, как верный пес, хоть стал ничей.
Замки истлели — не ищи ключей.
Внутри зияет брешь святых начал:
Отец сидел. Дед рушил. Сын молчал.

***

Торчат пучки сухой травы, как детские
                                        макушки.
Лежат цветные валуны — немые вещуны.
Сверкает юная листва, и майские опушки
Закатным тающим лучом насквозь освещены.

Выходит эхо из болот, печалится, и дразнит,
И кличет голосом глухим, умолкшим
                                        навсегда...
Нет, не зови.
Но если б ты пришел на этот праздник:
Овраг, черемуха, ручей и яркая звезда.

* * *

Я в лес ухожу, где затоплена каждая
тропка,
Стараюсь неслышно сквозь пьяный
багульник пролезть.
А вскрикну случайно — и эхо откликнется
робко,
Твердя голосами родными тревожную
весть.

Опять берегут, поучают. Всей жизни им
мало.
Кукушка замолкла. И в горле скребущийся
зной.
Да разве я так вам — живым, нетерпимым —
внимала,
Пока по болоту не стали ходить вы
за мной?..

* * *

Чутко сопит на руках твоих спящий ребенок.
Руки, баюкая, гладят. И бродит во мне
Ток этих слабых касаний — как памятных пленок
Беглый просмотр на синей узорной стене.

Гул соловья, нереальные ночи, паромы...
Детство — мое ли, твое? — с воробьями в пыли —
Значит, еще до того, как мы были знакомы,
Мы свой восторг незнакомому сыну несли.

Случайная прогулка

В вагоне ночном

В вагоне ночном, унылом
Погашен внезапно свет.
И люди, сколько их было,
Оторваны от газет.

Склонясь в напряженных позах,
Застыли глаза в глаза.
И медленно, и грозно
Скрипнули тормоза.

Словно дохнула вечность...
Все продолжалось миг.
И общей судьбой отмеченность
Каждый постиг.

Свет вспыхнул. И он был чудом.
И глуше ревела вьюга.
И долго хотелось людям
Вглядываться друг в друга.

* * *

Все белки сбежались к тебе, непонятно
                                                  откуда.
Мы чайные сумерки пьем по колено в снегу.
Тень леса упала на снег, словно гжельское
                                                  блюдо.
Держи, помоги, я разбить все это могу!

Всё в будущем будет отлично, и в прошлом —
                                                  нормально.
И я уношу удивленье в улыбке своей:
Случайная эта прогулка так ярко-
                                                  хрустальна,
Как будто нас ждали, как самых приятных
                                                  гостей...

Детские книжки умела чинить,
Дом заговаривать от напасти,
Штопать, роняя кудрявую нить,
Внукам дарила привычные сласти.

Кто же теперь меж рецептов врача
Трешку-спасенье хранит до аванса,
Лишнюю лампочку гасит ворча,
Ночь коротает в разгадке пасьянса?

Всех пожалеет, пошепчет в углу,
В ссоре послужит козлом отпущенья?
О, неуспевшее слово прощенья,
Солнце домашнее наше... Ау!

* * *

Город выпотрошен, разворован
Вместе с доброй ленивой страной.
Тьмой измайловской запеленгован
Сонный всхлип твой: «Останься со мной».

Нам осталось остаться друг с другом.
Нам осталось остаться людьми
И, гордясь нашим избранным кругом,
Честный хлеб добывать в эти дни.

Проповедникам, мытарям, судьям
Не сдавайся — повсюду враги.
Здравый смысл нашим сделай орудьем,
От соблазна детей сбереги.

* * *

В кустах замолк усталый соловей,
Горит в росе оскал консервных банок.
И мальчик за находкою своей
С тропы в траву ныряет, как подранок.

Который раз его встречаю здесь —
С мешком, в большой фуражке на затылке,
Дрожит. Опять промок, наверно, весь.
Он собирает по кустам бутылки —

Кто этот бизнес навязал ему?
Чем я перед шпаненком виновата?
Подняться больно взгляду моему,
Как будто вижу собственного брата.

* * *

Возле самого леса два горьких стоят
                                    интерната:
Детский дом всеми окнами в Дом
                            престарелых глядит.
И, бетонных оград их не трогая, мимо куда-то
Озорная людская дорога летит.

Тени в окнах зовут не судью, а сестру
                                    милосердья.
Хоть, возможно, кому-то из этих больных
                                    стариков
Не хватило когда-то любви, бескорыстья,
                                    усердья,
Чтоб в защиту от старости дочек поднять
                                    и сынков.

И глядят в их бездомные жизни
                            по-взрослому строго
Постаревшие лица детей и уснуть не дают.
О, ворвись в грустный домик ребячий,
                            умчи их, дорога!
Пусть хоть их никогда не дождется тот
                            жалкий приют.

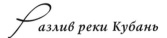

Разлив реки Кубань

Взлохмаченная рыжая Кубань,
Рыча, круша мосты, рвалась на волю.
Так пляшет смерч по вымершему полю.
Так зоб дрожит, выплевывая брань.

Рванула враз — держи, ищи, свищи!
В терновые, кизиловые рощи!
И в мутных зарослях, грязны и тощи,
Запутались тяжелые лещи.

Размыла, разорила, унесла.
Вернулась в русло, погуляв немножко.
И кружит, своего не помня зла, —
Шалунья рыжая... степная кошка...

А люди по полям размытым, черным,
Потери оглядев, бредут с тоской,
Несут корзины с недозрелым терном
И ведра с грязной рыбою живой...

Дождь в открытое окно

Тогда мы расстилали на полу
Пятнистое верблюжье одеяло
И наслаждались шелестом дождя
И шелковым шуршаньем чистой кожи.
Взлетала тюль. И молния сверкала.
И лист зеленый припадал к стеклу.
И был весь мир возвышенней и строже,
В родные дебри с нами уходя.

* * *

Твою улыбку бережно леплю.
Твоя улыбка так неосторожна:
Ее, как в детстве мертвую петлю,
В горячих снах к себе приблизить можно.

О, только бы не потерять руля,
О, только б голове не закружиться.
Бессонницей качается земля.
И места нет, куда мне приземлиться...

Так вот как приходит расплата
За мудрый пожизненный страх,
За то, что душа виновато
В чужих щеголяла шелках —
Приходит неузнанным чудо,
Ошибкой расчетов и смет,
Виной... Сквозняком ниоткуда...
И смелости — верить — нет.

* * *

Друг, выше русую голову.
Ночью по трассам пустым,
Словно по жидкому олову,
В глубь континента летим.

Может, от Саввы Морозова
Та заводская труба?
В окнах, потеющих розово,
Киснет герань и судьба.

Дремлет мурчащее, подлое
Счастье — перина и плеть.
Нам бы такое, оседлое:
Лучше, чем в темень лететь.

Нам бы — с вареньями, бочками,
С дрожью за кислый пирог,
В избах со свиньями-дочками...
Нам бы таких... Не дай бог...

* * *

Я в глухомани этой живу четыре дня.
И красота вокруг все длится, как зевота.
Уже ни Млечный Путь, ни звездопад — меня
Не понуждают к жарким розыскам блокнота.

Я пью без слез настойку светлых вечеров.
Для печки дров набрать бреду к сараю.
Заслонку отворив, гляжу на корчи дров.
Желая поглядеть людей, экран включаю.

Вчера затеяла письмо, да свет потух.
И в мозг пробилась полночь соловьиным
                                        кодом.
Да черт с письмом. О чем? О близости
                                     с народом?
Две бабки лет по сто, еще древней петух...

Или про ковш весны, не осушенный нами,
Как молод лес и климат наш здоров,
Как я страдаю соловьиными ночами,
От грома тишины... От слез... От комаров...

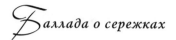

Баллада о сережках

Я заспанной зорькой грибною
Ушла через кочки и пни,
Но крались повсюду за мною
Шипенье и вздохи родни.

Мышиные мысли достали
Меня в этом тихом краю.
И, не замечая в печали,
Залезла я в топь-колею.

И смолкла далекая жатва,
И явь отступила звеня:
Змея, как зловещая клятва,
Шипеньем сковала меня.

Язык стал шершавым, как мел...
Но рядом послышалось пенье.
Сбивая оцепененье,
Соседки смешок прозвенел:

— Какие сережки! А ну-ка?
Конечно, мужик твой не пьёт...

(...И — прочь заструилась гадюка...)
— Родная! И в рот не берет!

Завидуй, кричи, дорогая,
Пугай засыпающих сов!
Так счастье, с трудом настигая,
Клянет нас во сто голосов.

* * *

Я дверь не закрою в летучий свой сон.
Входите, тревоги! Живите, вопросы!
Пока на прогонах не высохнут росы...
Пока не подкинет будильника звон...

Мне в спешке дневной, признаюсь, не до вас.
А в срок вас прийти не заставишь приказом.
Придете однажды. Навалитесь разом,
В вечерний блаженный измученный час.

И — в белой бумаге не видно ни зги...
Так в мирной станице, хоть верил в законы,
Но дед мой считал каждый вечер патроны
И вешал у койки свои сапоги.

* * *

Вербуйте меня, все разведчики мира. Я выдам
Такие секреты, что вам и не снилось узнать.
По всем земляничным полянам
                                           бесплатнейшим гидом
Вас так проведу, что забудете дом свой и мать.

В пустые деревни входи и живи, иностранец.
У старой доярки в сердечном, бесхлебном
                                                      плену.
Любой диссидент перед ней — бестолковый
                                                    засранец,
Дитя, что, насытившись, требует с неба луну.

Шпион или друг, я тебя проведу без конвоя:
В стогах из реликтовых трав отсыпайся, живи.
Секрет я не прячу.
У нас все настолько живое,
Что может погибнуть само.
Просто так.
Без любви...

*П*рости, Сорокино!

1.

Сорокино в воду кренилось покато.
В кривых тупиках я плутала полдня
И дом не нашла, где все ждали меня
С вином и стихами над миской салата.

Хотелось консервы разбить о коленку
И тем закусить свой проклятый склероз.
Я, кажется, адрес писала на стенку —
Зажмурюсь и вспомню... Не вижу от слез.

Как белая чайка на радужном фоне,
Пристала «ракета». Народ повалил.
Прости мне, Сорокино!
В душном салоне
Я в белое кресло упала без сил.

Мальчишка косился в окно диковато.
Он был в школьной форме. (В разгаре
                                                    жары!)
На брата похож. Может, из интерната.
Наверное, нет никого. И сестры...

Достойно отверг золотые ириски,
Опять отвернулся, глотая слюну.
Взревела турбина, вздымая волну,
Швыряя на отмель купальщиков визги...

И слышались в реве стального винта
Хрустящие корчи порезанной рыбы.
И с розовой пеной стеклянные глыбы
Тащили кишки, как обрывки бинта...

2.

Мужчина прогнулся за яхтенный борт,
Злой профиль и мускулы выкинув свету.
Он в небо смеялся, обугленный черт!
Так дико и вольно дано лишь поэту,

Пьянея от грома, упившись дождем,
С печеной картошки золу обдирая —
Под бешеным небом. У самого края.
С любимой. Иль с братом. Ну с другом
                                        вдвоем.

И радость, и ярость такая светла.
Смеясь и шатаясь, он вышел на берег.

Смотрел, как бушует на западе Рерих,
Как иву в Полесье волна подсекла.

Прости мне, Сорокино!
Песню не ту
Я спела, глаза свои пряча в панаме.
Всемирное небо плескалось над нами.
И жизнь проводила цветную черту.

По Нижней Масловке трамвай пускал рулады.
Высокий дом к обеду треть солнца отрезал.
Почти в ногах у трехэтажной эстакады
Возился маленький Савеловский вокзал.

Не едут лыжницы и рыбаки в тулупах,
А электричка вновь байдарками полна.
Мне так везло всегда на место у окна,
Гитару стройную, попутчиков неглупых.

Вокзал, ну, здравствуй, старина! Давай билет.
В вагонах сипло запоют бродяги, знаю.
Да увези ж меня назад хотя б на десять лет.
Пусть у окна мне места нет. Присяду с краю.

* * *

В клинской голосистой электричке,
Химки окликающей с моста,
Видно, по студенческой привычке
Я люблю стоячие места.

Вот опять, по насыпи взмывая,
Нагнетает в тамбуры озон —
Летняя, шальная, кочевая!
Что рюкзак не взял — из сердца вон!

Городишки, пестрые покосы...
И как весть оставленной родни,
Вдоль по рекам столько ребятни...
Все светловолосы и курносы.

Реквием в тупике

1.

...И всплыли к подножью холодной
                              тридцатой весны
Зеленые льдины в колодце замшелого
                                    шлюза,
И марш духовой, и обрывок старинного
                                блюза...
Собачьи глаза проплывали, от ветра
                            красны.

Мне было плевать на собаку и строгость
                                крыльца.
И даже не важно все то, что случится
                              со мною.
Шла память, как съемка, за уходящей
                              спиною.
«Отец, оглянись...» — я шептала, не видя
                                  лица.

2.

...Неизвестный, привезенный ночью,
Умирал, не приходя в сознанье.

С губ срывались красной пены клочья.
Все слабее булькало дыханье.
Это мяса месиво живое
На лицо и не было похоже.
Пахло гарью долгого запоя.
Свежей кровью насыщалось ложе.
Кто он, кем избит, за что? Не знали.
Подобрали, проходя дворами.
Падал пульс. Родные не искали.
Солнце стыло на больничной раме.

3.

...Резал стену тонкий голос телефона.
Что-то про отца.
Пульс немого стона.

Так нелепо, как
Все он делал.
Страшно,
Как потом, в *том* доме, с *той* его женой.
Мутные стаканы. Высохшее брашно.
Блева или мата хрипы за стеной.

— Я ему сказала, — слышите, вы, дочь! —
Прах его поганый по ветру развею!

Жил — кому был нужен, с дурью-то своею?
Вы живого, злого прогоняли прочь!..

4.

...Ветер воет в несусветный горн.
Низок рев последнего каданса.
Больно-больно бьется мерзлый дерн
Прямо в стенку грубого фаянса.

5.

...Кто-то на кладбище поднял мимозу,
В комнате нашей украдкой поставил.
Кровь, погребенную кровь не зови...
Выпей забвенья приличную дозу,
Чтоб, не дичась общепринятых правил,
Выстроить стелу дочерней любви.

Насмерть забудь про девчонку-подростка,
Ненависти полоумной припадки,
Мутные стены в отцовских глазах.
С жизнью, любовью сквитавшийся жестко,
Прожил дотла и ушел без оглядки.
Память жевала беспомощный страх.

Жалась душа, как больная собака,
Кости согреть у чужого огня.
Разве не ты меня вызвал из мрака?
Что же ты, отче, оставил меня?..

6.

...Еще одно сильное тело обнимет могила.
И свистом пространства усталый пронзит
приговор:
«Я призывал их, когда ты их мало любила.
И дара забвенья лишаю тебя с этих пор.
Неси их упреки и все, что успела заметить:
Секретные метки родных, неприкаянных —
всех.
Люби безнаказанно тех, кто не может
ответить.
И ложью святой откупайся от них без
помех...»

7.

Зря копаюсь в этом деле старом.
Если честно, разницы в том нет,
Кто за блажь ему воздал ударом:
Форменный сапог или кастет.

В доме жил постылый привкус блуда,
Бледный брат, запуганная мать...
Если б я умела делать чудо,
Я б его не стала воскрешать.

8.

В автобус вошла. Пятак опустила.
Схватилась за поручень над головой.
Глазами вокруг повела и — застыла:
Отец... Живой...

Куда он спешил?.. Он казался моложе,
Казался довольнее и добрей,
С каким-то портфелем из вытертой кожи,
В знакомом плаще... У самых дверей...

Толкали его. Мне казалось, что — больно.
Все время шипела и лязгала дверь.
Скользя, он схватил мою руку невольно,
И я прошептала: «Ну как ты?.. Теперь...»

Он глянул. Узнал. Улыбнулся неловко.
Вдавился в тугой человеческий пресс.
И словно приснился: скользнул — и исчез.
Сошел, не доехав одну остановку...

9.

Сгорая в крутой перспективе,
Успей прошептать, кто ты есть.
Оставь мне в сыром негативе
Рождения кроткую весть.

И так же случится со мною?!
Сожжет, и вслепую, опять
Зачав меня, время иное
Ни крика не выпустит вспять...

Вишневый цвет

* * *

Густую челку завила в кудряшки:
То в зеркало посмотрит, то в окно.
Ей скучен теннис, надоели шашки.
Сестра уходит вечером в кино.

Ты замечаешь с горечью ревнивой
Помаду, кудри и, страшней всего,
Тот новый взгляд — рассеянный, игривый,
Скользящий мимо взгляда твоего.

Тебе тревожно, грустно, незнакомо.
Ты чувствуешь, не говоря ни с кем,
Что скоро из родительского дома
Она уйдет, ликуя, насовсем.

* * *

У волка боли́,
У медведя боли́,
А у детки моей заживи.

У змеи удавись,
У воровки порвись,
А к маме голубкой прижмись.

У бандита
И крыша, и дом обвались,
А у мужа мово укрепись.

У лжеца покривись,
У врага повались,
А у братьев стократ уродись.

В черных дырах взорвись.
В новых звездах зажгись.
А на светлой земле берегись.

* * *

Вишневый цвет сгребают с тротуара,
Влетают в окна майские жуки.
Сиренью подбивая плащ бульвара,
Строчат велосипедные звонки.

Над царскими прудами бродят зори,
Из хлама дети строят катера.
И плещет в их глазенках то же море,
Что и в неистовых очах Петра.

* * *

Возмущаясь лавочками хлипкими,
В парке восседают старики,
Прячась умиленными улыбками
Под матерчатые козырьки.

Не всегда почет и уважение
В тех, кого позвал из тьмы: «Живи...»
Но щебечет лес. Цветут растения.
И полна, светясь, душа осенняя
Безответной, сдержанной любви...

* * *

«Вот умерла, а совсем молодая...»
К телу, щадя, не пустили детей.
Взгляд воспаленный уводят страдая
Все, кто дружили и ссорились с ней.

Чем ты поможешь? Для страшного груза
Молча, спокойно подставишь плечо.
Живо лишь сердце земного союза —
Дети. Не выросли дети еще...

Вот для чего, хоть порой и неловко,
Держишь, любовь, ты свои рубежи.
Мы для детей как двойная страховка.
Я ослабею — не сдайся! Держи!

* * *

За гроздь винограда единственный вечер
                                    отдам —
Бродить с ним по мокрому лесу, рассказывать
                                    сказки,
Скрипучую тропку слепым уступать поездам,
В изысканной фразе ронять отрешенные
                                    ласки.

И мысли цедить сквозь янтарную гроздь. Ни
                                    при чем —
Где жить и на что, и терпенью конец,
                                    и здоровью.
Щеки не коснусь уходя. Не задену плечом.
Рукой не дотронусь, не вздрогну
                                    взволнованной бровью...

Полжизни пройдет, и сотрется меж вечных
                                    проблем
Единственный вечер и теплая гроздь
                                    винограда.
Вкус нынче другой. Равнодушно срываю и ем
Все фрукты подряд в кущах пряного спелого
                                    сада.

* * *

И такая пошла кутерьма...
Бодрый тон для звучанья привета
И какую-то глупость веселую
Сочинила, сняв трубку тяжелую.
Слава Богу, хватило ума
Успокоить движение это.

Под свадьбы шум

Под свадьбы шум, под уханье оркестра,
Под шепот в сигарету тет-а-тет,
Пока с официанткой мать невесты
Бранилась за недоданный паштет,

Пока невеста, обходя с подносом,
Сбирала дань с влиятельных гостей,
И все подруги перед самым носом
Считали деньги, улыбаясь ей,

Я жениха со свадьбы увела.
«Очнись, — молила я, — ты ей не пара.
Свирель, байдарка, скорбная ветла —
Все сберегла для нас речонка Нара!..»

Но свадьбы шум сводил беседу к шутке.
Фужеры наполнялись чем-нибудь.
И только мне обломок дикой дудки
Изрезал губы и не дал глотнуть...

*Е*жевечерний путь

Студентам-вечерникам

1.

О, ежевечерний путь
С работы лабораторной,
Болтанка в подземке черной,
Уткнувшись в чужую грудь...
Но есть в целом мире одно
Окно, где ты нежен и нужен.
Спеши, пока кем-то дано
Пространство, где греется ужин!

О, ежевечерний свист
Снаряда на головой —
Подземки истошный вой...
О, белый полночный лист,
Нетронутый, неживой,
Вселенского курсового.
О, мужу последнее слово,
С упавшей на стол головой...

2.

Мой Боже, спаси от сумы,
Спаси от голодной зимы,
От ревности к дивным нарядам
Подруг, убивающих взглядом,
От зависти наши умы...

Волнуя красивую бровь,
Сыграйте, мой друг, на Таганке
Чертежника и лаборантки
Отпетую загсом любовь.

3.

Мне медленных танцев обряд
Смешон, как «И»-краткий заглавный.
Вертись, хоровод равноправный,
Взволнованных граций парад!

Пою оглушенным влюбленным!
Бывало, увесистый рок
Владеет нутром потрясенным
Почти до утра...
Не в упрек

Скажу, что не дам ни гроша
Уютному скучному disko.
Ни бездны, ни грома, ни риска
Уж в нем не находит душа.

А было: паркету хана,
Когда мы, сойдясь в хороводе,
Дивились той древней свободе,
Что танцем разрешена.

Спляшите, пока не слабо́!
Не моде верны, а природе.
Не равно ль, в каком хороводе
Беситься, теряя сабо́?

О, только б сберечь хоровод,
Чтоб дружные руки не дали
Из круга в угрюмой печали
Уйти от житейских забот...

Поднимем остатки «Котнари»
За пляски в веселом угаре!

* * *

Вдруг потемнело. И рухнула с неба гроза.
Бились о стекла кусты молодого жасмина.
Вспышки небесные, блики электрокамина
Все изменили, в наши вглядевшись глаза.

Дом скрежетал, отплывая незнамо куда.
Вспухла земля, и тяжелое небо нависло.
Жизнь в эту ночь не боялась высокого смысла.
Что-то рождалось и гибло. И выла вода.

Нашла у ручья ежевику:
Мрак, сладость в пыльце голубой.
Ушла, как в гипнозе, по блику
В глушь детства, на встречу с тобой.

А что там решалось — не помню.
Мы были прекрасны, горды,
Нашли по руинам часовню,
Замшелых надгробий ряды.

Хмель цвет осыпал, неизбежность
Цикадой лилась в голове.
Поляны бессильная нежность,
Две горлинки в сизой траве...

* * *

Не смейся, брат, когда оркестр Лундстрема
Я с Эллингтоном спутаю. Поставь
Ту, долгую, где так спокойна тема,
Как речка наша. Бродом или вплавь,
То выходя на отмель по колено,
То упуская шелковое дно,
Давай на правый берег, где степенно
Горбушка сена высится.
Давно
Там ждут тебя под вещий свист цикады
Галушек миска, кружка молока,
Там вдоль плетня бренчит и трется стадо,
Сквозь пыль являя мутные рога,
Там бабушка поет: «Пора вечерять!..»
Горят ладони, стертые серпом,
Все это близко — только плыть и верить.
Устал, братишка?
— Малость. Ну, плывем!

* * *

Неиссякаемой нежности два предрассветных
                                    прилива.
Кровью своей оглушенные, мы задыхались
                                в Москве.
Шел из Лосиного Острова ливень, бросая
                                с обрыва
Замшу молочных орехов. И белки плескались
                                в траве.

Лес прогибался до хруста от воробьиных
                                истерик.
Полз дикий хмель по оврагам. Лисы скулили
                                впотьмах.
И над жемчужным востоком вынырнул
                                бешеный Рерих
С русским разорванным сердцем в мокрых
                                индийских шелках.

* * *

Меджнун, я не склоню тебя к измене.
Иди в мой дом, лохмотья постели.
Позволь тебе перевязать разбитые колени.
И пой мне о Лейли...

Меджнун, я осуждать ее не смею.
Столица месит судьбы на крови.
Достойно оценил девчонку, беженку, лилею
Валютный торг любви.

За измозженный твой висок и скуку
В глазах — погашенных кострах любви —
Всех женщин прокляну, бескровную целуя
                                        руку
Твою.
Меджнун, живи... Живи...

Письмо

...Через год опять заеду
И влюблюсь до ноября...
*А. С. Пушкин. Подъезжая
под Ижоры...*

Приветствую восточное начало,
Розарий тех многоцветистых фраз,
Которыми, не дорожа нимало,
Готовы одарить меня сейчас.

Опять в Москве. Как следствие — грустите.
Вернее, так: «Брюзглив и одинок».
И между строчек — тайный смысл: хотите
Отведать мамин яблочный пирог.

Итак, в Москве! Коробка новостей,
В душе сумбур, в глазах — недоуменье.
Но — тайнопись! Что может быть вкусней,
Чем мамино вишневое варенье?

Надолго? Нет. На будущей неделе —
«Сверканье верст, сквозняк и пыль в окно...»
Как жаль, как жаль... Пирог мы с мамой съели,
И то варенье кончилось давно.

* * *

Взывает из люка ночного
Неглинка. И, руку ища,
Свивает подкрылье плаща
Сквозняк из двора проходного,
Затягивает с головой
Окно в колдовскую воронку,
И не успевает вдогонку
Участливый голос живой.

В гостях

Простите вы гостье причуду такую,
Что чаю стакан целый час я смакую.

Я пью потихоньку, но вижу с испугом:
Мелеют стаканы мои друг за другом.

А вы улыбнетесь. Дольете мне чая,
Румянца счастливого «не замечая».

Как струйка настоя терпка и душиста!
А в вашем прищуре — свобода артиста...

И как мне покинуть высокое кресло,
В которое я так уютно залезла?

Рука отогрелась, и щеки в огне...
Прошу вас, долейте горячего мне!

Свежий мотив
Девушка в наушниках

В час пик, в мясорубке центрального
                                        перехода,
В метро, среди острых локтей — растрепалась,
                                        бледна,
Зажата в толпе. А в глазах — тишина и
                                        свобода.
Такая свобода... И музыка... И тишина...

Из мира людей к ней склоняется пьяное рыло,
Но стонет мембрана, и брань дурака не
                                        слышна.
Застыла в невольных объятьях, стерпела,
                                        забыла.
Сейчас будет выход — свобода. Земля.
                                        Тишина...

* * *

Две несхожих сестры милосердия,
Греть пытаемся сердце одно.
Но напрасно двойное усердие:
Согреваться не хочет оно.

Слезы, милая, ты придержи-ка.
Много клюнет жалеющих дур
На святую измученность лика,
Сжатый рот и нахальный прищур.

Пресыщение — сильная карта!
Пепел в сердце успехом чреват!
А для пепла, горя от азарта,
Все спалил наш возлюбленный брат.

Не жалей: ему скучно без боли.
Ни родных, ни чужих не щадя,
Несусветного — «боли и воли» —
Просит он, словно дачник дождя.

Из огня он не вытащит руку,
И спасать не пытайся, не тронь.

Чтоб узнать нашу полную муку,
Он, наверное, прыгнет в огонь.

Разве ты променяешь подружку
На такого? Какая мура...
И хриплю я под утро в подушку:
«Чем оправдана эта игра?»

Спрячем все, что просилось наружу.
Прогреми медяками в горсти
И стаканы за черную дружбу
По веселому кругу пусти.

Мне пришлось при случайной встрече
Разглядеть, говоря с тобой,
Как недавно крутые плечи
Обломала борьба с судьбой.

Чем наполнить заминку эту,
Где мы, что вокруг — не пойму.
Лучше я попрошу сигарету
И заплачу в сплошном дыму,

Задохнусь, отвернусь, не отвечу...
Тут ловушка, ведь знает Бог:
Не могли подарить нам встречу
И не требовать жизнь в залог...

***

Ты говорил. Меж нами сгоряча
Бродила эта слабая улыбка.
Был снегом скошен разворот плеча,
И переулки возникали зыбко.

Хотелось дать покой твоей судьбе,
Скроив по собственному произволу.
Ту девочку, что нравилась тебе,
Пригнать, влюбить, едва закончит школу,

Перевернуть... Все мчалось, как угар
В табачном дыме, кашле и зевоте.
И ямбы злые на высокой ноте
Копили вновь расчетливый удар.

Тебя спасать хотела!
Что ж, бывает.
Ведь поняла я только через год:
Ты — из породы тех, кто выживает,
А не из тех, кто головы кладет.

Такой поссорит всех, а сам не бьется,
От горя не пропьется до рубля.
На дне любого жуткого колодца
Таким — обетованная земля.

Таким — о чем расскажешь? — «Умираю?»
Умны их дети, ярко ремесло.
Мои глаза, скользящие по краю —
На кой бы черт им это занесло?

Зачем я им, колючая, чужая,
Без приглашенья и в такую рань...
Поверь, я их безмерно уважаю.
Иди к ним. Отпусти меня. Отстань.

* * *

За полночь думать уже не могу,
Кто ты, откуда, какого народа...
Цивилизации в звездном стогу,
Чиркнув, сгорают в глотке кислорода.

Много ли радости в этой игре
Помнить хотя бы твой бережный голос?
Только меня, только в том декабре
Так он позвал, что душа раскололась.

Встречались изредка. Шутили мило.
Шел разговор, как пес на поводке,
Пока дремучим снегом заносило
Кузнечика в протянутой руке.

Для тайных встреч мы не искали повод.
И в белизне морозного луча
Твоя ладонь, как раскаленный провод,
Порой касалась моего плеча.

* * *

Признался ты, что был вчера хмельной
И не владел, готов ценой любою...
Да мне-то что... Ведь хмель мой был иной.
Ты пьян был. Что ж... А я — пьяна тобою.

* * *

Как-то вышла я из себя.
Я в себе разбудила тигрицу.
Я боялась в себя прийти.
Мне теперь не до сна:
До сих пор сторожим друг друга.

* * *

А на рассвете
В доме тигр
Бывает.
Никто на свете
Наших игр
Не знает.

* * *

Я уеду, чтоб вернулся
Тот весенний городок
И босой ступни коснулся
Перламутровый песок.

Там, как в королевстве датском,
Жизнь все мерит «быть — не быть»,
Иль на рынке азиатском
Дочку русскую купить?

По оврагам, по обманам
Половодье, гиблый лед.
Да в том зеркале туманном
Брови строгие вразлет...

* * *

Отпусти меня. Молча. Одну.
Без ключей. Без часов. Без причины.
Не рискую. Не ставлю в вину.
Не напрасно. Не из-за мужчины.

Я судьбу свою прочь унесу.
Я ее перестану бояться.
Я одна в соловьином лесу
Буду плакать всю ночь и смеяться.

Я предам все пороки огню,
Пусть незрячим добавится света.
Я, конечно, тебе позвоню.
Ты ведь должен почувствовать это.

* * *

Мы не заметили, как дождь пошел.
И плача день ушел из-под контроля,
Ведь плачущий уже неуправляем:
Он все отдал, он жалок и безгрешен,
Он всех слезами нас обезоружил,
Во всем сознался и теперь свободен.
О, равнодушно плачущее время:
Все кончено, порушены надежды.
Прощай и плачь, смиряйся и люби...

* * *

Тревожная березовая месса:
Плеск половодья, птиц органный рев.
Я ночью позвоню тебе из леса
И попрошу: «Послушай соловьев...»

Они поют, они не виноваты,
Спеша взахлеб исполнить свой обряд.
Ни суд, ни повышение зарплаты
Им в этой жизни явно не грозят.

Они рыдать над миром не устанут,
У них одно и то же на века.
Но если люди слушать перестанут,
Потеря будет очень велика.

* * *

Как-то мы встретились в крохотной чайхане.
Сели за столик напротив узбека в пижаме.
Ливень бренчал замутненными витражами.
Чудился гул самолета и взгляд на спине.

В окнах летели цветные машины... К шести
Встал наш узбек и запел о какой-то потере.
Дождь умирал, избивая оглохшие двери.
Все понимал про тебя и боялся уйти.

* * *

О, не буди магнитных лент.
Арбат придавит, как цунами,
Когда возникнет между нами
Знакомый аккомпанемент.

Там Филл, забросив Хохлому,
Рисует за рубли девчонок,
Которые со дна картонок,
Робея, тянутся к нему.

Там лысый дервиш в полусне
Гнусавит, как у Гили дверка.
И тащит «Абсолют» Валерка,
Сгоревший заживо в Чечне.

И скейтбордист, притормозив,
Летит, визжит, как жизнь по кругу.
Лишь миг: успеть в глаза друг другу...
Не трогай свежий тот мотив.

* * *

Беспамятный выкрик ночной потерянных
в крышах курантов.
Рассветный сквозняк с головой в рисунки
ушел, адреса...
Сочится несложный мотив забытых
глубинкой вагантов.
Магнитная лента устала вытягивать
их голоса.

Как жалко, что в эту обитель меня завела
лишь обида,
И горькое сердце не в силах до чистых тонов
дотянуть.
Как жалко, что в эту минуту у нас не любовь,
а коррида.
И здравая мысль охраняет зрачков
мутноватую жуть...

Свирель покорная, не ври,
Что равнодушна ты к скитальцам:
Дыханью их — в тебе, внутри
И как огонь бегущим пальцам.

И даже если скуп и груб,
И честных не дает ответов,
Но лепестковый мускул губ
Так тверд и сладко фиолетов...

И я, как ты, всю ночь ждала,
Молчанья пыткою измучась.
Знать, слишком умною была,
Забыв свою свирелью участь.

И стало страшно мне в ту ночь
За все непрожитые миги,
За все, в чем не могла помочь:
За ненаписанные книги,

За неродившихся детей,
За неуслышанные ноты.

Всю ночь молчит свирель.
И что ты,
Разумный, значишь перед ней?

Вдохни ей жизнь, коль ты в уме
И знаешь, как о тайном жаре
Молчат в беспамятстве, в тюрьме,
В могильном бархатном футляре.

Параллельная фраза

Бересклет мой дошел до кисейной
                                      прозрачности.
Он как розовый обморок строгих аллей.
Ждет: обжечь, удушить, исколоть
                                      в многозначности
Изумрудной шершавостью тонких ветвей.

Рытый бархат цветов вяло-влажно-
                                      пурпуровых,
Звон и оторопь: ярких, больных, восковых.
Пересохший глоток от — затылком —
                                      прищуров их:
В ядовитых парах отражений кривых.

О, зачем я иду? Может, необязательно
Проходить этот путь — почему я должна...
— Бересклет!! Увядающий... Очаровательно...
И за жизнь тут кромешная, право, цена...

* * *

Краденый, нежный, неистовый,
Зыбкий, как тень от свечи...
Жадные дни перелистывай,
Кайся, клянись, бормочи...

Латаной в рябь Якиманкою
Наугощав допьяна,
Просишь побыть китаянкою,
Вытомить зверя сполна.

Звонов рассветных и булочек
Власть: воздух чертят стрижи.
Вросших в асфальт чистых улочек
Утренние виражи.

Где-то поспешно обедаем,
Ломится город в окно.
Что это с нами — не ведаем,
Людям судить не дано.

* * *

Есть птица с нежным именем Любовь.
Какой полет! Какой ей голос дан!
Но пьет она всегда живую кровь,
Которую берет из свежих ран.

Я спряталась, я зло забыла,
Зарыла в теплой тишине.
Луны прозрачная кобыла
Пьет Млечный Путь в моем окне.

Я как она, и нет спасенья,
Ведь дан и мне — какой-то бред —
Дар непонятного свеченья,
И зло летит на этот свет.

И, о стекло расплющив лица,
Мы шепчем в ледяном поту,
Что все же призваны светиться
И оставаться на посту.

* * *

Венозно-алые — как тайный гнев,
Как луч в вине, пролитый с ядом кубок,
Старинный сонный танец томных дев,
Рубиновая дрожь атласных юбок —

Так распускались маки — в душный зной,
В абсурде фраз, в рыданьях сарабанды,
И отсвет крови тек в янтарный слой
Стаканов с чаем на столе веранды...

...И я хотела, в тупиках из слов...
...И в этот дохлый чай насыпать перца,
Чтоб ты восстал, отрекся от основ,
Вошел в меня огнем и вырвал сердце,

И траур тюбетейки — в ямку — чуть
Обугленного солнцем кашемира —
Сгоревший мак — ожог лица — на грудь —
И стал концом или началом мира.

* * *

Давай наплачемся, пока я не ушла
В беспомощный столбняк ужасных
                                превращений.
Там детские глаза, и ты, и сад осенний,
И все привычки выгорят дотла.

Давай наговоримся, наплетем вранья,
В которое тайком, конечно, верим живо.
Не раз, бродя с тобой, уже посмела я
Ослушаться того печального призыва.

* * *

Как видом крови опьяненный дервиш,
Ты мучаешь себя, впадая в транс,
И, счастлив мукой, даже мне не веришь,
Последний, может быть, теряя шанс.

Но я дождусь, как нищенка во храме:
Умолкнет служба, опустеет храм.
Послушными дрожащими губами
Я припаду к искусанным губам.

И слабый пульс найду в глубинах тканей,
И дрожь зрачков, едва дотронусь ран,
И лихорадкой страстных причитаний
Разрушу наважденье и обман.

* * *

И ветер ворвется в окно. И вскрикнет
влетевшая птица.
И самая близкая даль меж нами сверкнет,
уходя...
А ближе когда-то пребудут лишь юная мать
и дитя,
Что бьется, спирая ей вздох, но все еще
медлит родиться...

Мне будет дана благодать не верить улыбке
довольной
И манию донжуанства простить как
не главный симптом,
Поскольку уверена я, и жить с этой верой
не больно:
Любили тебя не любя и грели дырявым
теплом.

Иначе — откуда взялась внезапная рук
одержимость,
Откуда в глазах затаилась обида,
а может быть — страх?

Иначе — зачем на тебя сзываю всю божию
милость
И детское сердце мужское купаю в горячих
слезах?..

* * *

Лес, осенью просвистанный насквозь,
Лес, тайно изнуренный короедом,
Он умирает стоя — ветви врозь —
По замыслу, что и ему неведом.

Заслуги леса — мир и тишина,
Всем хлеб и кров, кто нищ и презираем.
Большая молчаливая страна,
Чем ты больна? Мы так и не узнаем.

Для новых гимнов хватит старых слов
И старых пуль — для всех детей беспечных.
Кровь порождает кровь, и рвет покров
Ярь свежих сил и вещих снов запечных.

И мир — как лес, просвистанный насквозь
Потоком усвистевшего озона:
Обрушен свод. Заплакала икона.
Прости нас, мать. И вновь покров набрось…

Содержание

Два билета 5

«Тебя позвать —
     как воздуха вдохнуть...» 5

«Ожесточенные слепой работой...» 6

«Руки царапая,
     горькую жаркую пижму...» 7

«Ты был могучим добрым великаном...» ... 8

«Из дискотек, от злых ревнивых мук...» ... 9

Утренний этюд 10

Цветной гобелен 11

«„Вас ждет подъем", —
     астрологи сказали...» 13

«Живые, мы платим
     по трем векселям...» 14

«Вдоль мутных контуров аптеки...» 15

«Я к вам вбегу не с тостами
     смиренными...» 16

Дети на даче 17

«По зорким стеклам
     хлещет мутный ливень...» 18

«Она впорхнет в твой кабинет
     с бумагой...» 19

«Нынче в кассе билетов навалом...» 20

Обида 21

«В ночь из Москвы — оторвемся,
    ни с кем не простясь...» 22

«Словно необратимый процесс...» 24

«Сонное ульев смиренных тепло...» 25

«Мимо брошенных изб, в ночи...» 26

«Хочется горлинок
    шелком цветным вышивать...» 27

«Она перестала краснеть,
    ревновать без причины...» 28

Тюльпаны на Пуске 30

    1. «Ты собирался так аккуратно,
        словно — надолго...» 30

    2. «На горячих песках
        Байконура...» 32

    3. Гости 33

    4. Дублер 34

    5. «Завывал фургон
        „Межавтотранса“...» 35

    6. «Снег над городом...» 35

    7. «Тюльпан не знает,
        что рожден в пустыне...» 36

    8. Весенняя газель 36

«О плафоны бьется мошкара...» 38

Друзья моего сына 39

«Все в порядке. Улыбнись беззвучно...» . . . 40

Мой маленький город 41

  Из разговора продавца
     с покупателем 41

  «Не странно ль, на ухабах замирая...» ... 45

  «Как ты вырос,
     мой маленький город...» 46

  «Наша забота теперь — привыкать...» ... 47

  «Шерстяной седой медведушка...» 48

  «Мелкий подранок в кусты...» 49

  «Ирония, я без тебя умру...» 50

  «Это и было от ветра...» 51

  «Напьемся перед сном
     Рождественским бульваром...» 52

  «Как педагог я, может, не сильна...» 53

  «Горсть монет и всё,
     в карманах чисто...» 54

  «Вновь, Марина,
     я в знакомом кресле...» 55

  «А Масленица жгла блинами...» 57

  Приезжай в Измайлово 58

Серебристые мхи 59

  «Снег! Солнце! Январь!
     Понедельник!..» 59

  «Я не боюсь соперницы красивой...» 61

«Можно в обугленный лечь
  земляничник...» 62
«Оторопь свежих кабаньих тропинок...» . . . 63
«Вприсядку иль юбку задравши,
  канкан...» 64
«Исцарапав лицо,
  хохоча без причины...» 65
«Зелено. Влажно. Темно...» 66
«Поросли пожарища кипреем...» 67
Кровохлебка 68
«Вот и черника в лесу перезрела...» 69
Сельская учительница 70
В бывшей деревне Овечкино 72
«Торчат пучки сухой травы,
  как детские макушки...» 73
«Я в лес ухожу, где затоплена
  каждая тропка...» 74
«Чутко сопит на руках твоих
  спящий ребенок...» 75

Случайная прогулка 76
В вагоне ночном 76
«Все белки сбежались к тебе,
  непонятно откуда...» 77
«Детские книжки умела чинить...» 78
«Город выпотрошен, разворован...» 79

«В кустах замолк усталый соловей...» ... 80

«Возле самого леса

    два горьких стоят интерната...» 81

Разлив реки Кубань 82

Дождь в открытое окно 83

«Твою улыбку бережно леплю...» 84

«Так вот как приходит расплата...» 85

«Друг, выше русую голову...» 86

«Я в глухомани этой

    живу четыре дня...» 87

Баллада о сережках 88

«Я дверь не закрою

    в летучий свой сон...» 90

«Вербуйте меня, все разведчики мира.

    Я выдам...» 91

Прости, Сорокино! 92

    1. «Сорокино в воду

       кренилось покато...» 92

    2. «Мужчина прогнулся

       за яхтенный борт...» 93

«По Нижней Масловке трамвай

    пускал рулады...» 95

«В клинской голосистой электричке...» ... 96

Реквием в тупике 97

    1. «...И всплыли к подножью

       холодной тридцатой весны...» 97

2. «...Неизвестный,
    привезенный ночью...» 97

3. «...Резал стену
    тонкий голос телефона...» 98

4. «...Ветер воет
    в несусветный горн...» 99

5. «...Кто-то на кладбище
    поднял мимозу...» 99

6. «...Еще одно сильное тело
    обнимет могила...» 100

7. «Зря копаюсь
    в этом деле старом...» 100

8. «В автобус вошла. Пятак
    опустила...» 101

9. «Сгорая в крутой перспективе...» . . . 102

Вишневый цвет 103
«Густую челку завила в кудряшки...» . . . 103
«У волка боли...» 104
«Вишневый цвет
    сгребают с тротуара...» 105
«Возмущаясь лавочками хлипкими...» . . . 106
«„Вот умерла, а совсем молодая...“...» . . . 107
«За гроздь винограда
    единственный вечер отдам...» 108
«И такая пошла кутерьма...» 109
Под свадьбы шум 110

Ежевечерний путь 111
  1. «О, ежевечерний путь...» 111
  2. «Мой Боже, спаси от сумы...» 112
  3. «Мне медленных танцев
     обряд...» 112
«Вдруг потемнело.
  И рухнула с неба гроза...» 114
«Нашла у ручья ежевику...» 115
«Не смейся, брат,
  когда оркестр Лундстрема...» 116
«Неиссякаемой нежности
  два предрассветных прилива...» 117
«Меджнун, я не склоню тебя
  к измене...» 118
Письмо 119
«Взывает из люка ночного...» 120
В гостях 121

Свежий мотив 122
Девушка в наушниках 122
«Две несхожих сестры милосердия...» ... 123
«Мне пришлось
  при случайной встрече...» 125
«Ты говорил. Меж нами сгоряча...» ... 126
«Тебя спасать хотела!..» 127
«За полночь думать уже не могу...» ... 128
«Встречались изредка.
  Шутили мило...» 129

«Признался ты,

что был вчера хмельной...» 130

«Как-то вышла я из себя...» 131

«А на рассвете...» 132

«Я уеду, чтоб вернулся...» 133

«Отпусти меня. Молча. Одну...» 134

«Мы не заметили, как дождь пошел...» ... 135

«Тревожная березовая месса...» 136

«Как-то мы встретились

в крохотной чайхане...» 137

«О, не буди магнитных лент...» 138

«Беспамятный выкрик ночной

потерянных в крышах курантов...» ... 139

«Свирель покорная, не ври...» 140

Параллельная фраза 142

«Краденый, нежный, неистовый...» 143

«Есть птица с нежным именем

Любовь...» 144

«Я спряталась, я зло забыла...» 145

«Венозно-алые — как тайный гнев...» ... 146

«Давай наплачемся, пока я не ушла...» ... 147

«Как видом крови опьяненный

дервиш...» 148

«И ветер ворвется в окно.

И вскрикнет влетевшая птица...» ... 149

«Лес, осенью просвистанный

насквозь...» 151

Литературно-художественное издание
Серия «Алтарь поэзии»

Нина Петровна Шевцова

КОЛДОВСКОЕ УТРО

Генеральный директор издательства
С. М. Макаренков

Редактор *Г. М. Треер*
Выпускающий редактор *Е. А. Крылова*
Компьютерная верстка: *И. А. Урецкий*
Корректор *В. К. Павлова*

Подписано в печать 03.11.2006 г.
Формат 70×90/32. Гарнитура «PetersburgC».
Печ. л. 5,0. Тираж 1000 экз.
Заказ № 6603

Адрес электронной почты: info@ripol.ru
Сайт в Интернете: www.ripol.ru

ООО «ИД «РИПОЛ классик»
107140, Москва, Краснопрудная ул., д. 22а, стр. 1
Изд. лиц. № 04620 от 24.04.2001 г.

Отпечатано в ОАО «ИПК «Ульяновский Дом печати»
432980, г. Ульяновск, ул. Гончарова, 14